D1132979

Título original: **Die Bremer Stadtmusikanten** de Jacob y Wilhelm Grimm, 1857

Colección libros para soñar

Avión Cuatro Vientos, 7 - 41013 Sevilla
Telefax: 954 095 558
andalucia@kalandraka.com
www.kalandraka.com

Impreso en Gráficas Anduriña, Pontevedra
Primera edición: abril, 2010
ISBN: 978-84-92608-30-0
DL: SE 1038-2010

J. y W. Grimm

Gabriel Pacheco

Los cuatro amigos

kalandraka

Érase una vez un hombre que tenía un burro.

Durante muchos años el animal había llevado la carga al molino
pero ahora, viejo y cansado, ya no tenía fuerzas para ese trabajo.
Así que el hombre, para ahorrar un poco de dinero,
dejó de darle de comer. El burro, que veía muy negro su futuro,
decidió escaparse a Bremen para hacerse músico callejero.

En el camino se encontró con un viejo perro cazador.

—¿Qué te pasa, amigo? —preguntó el burro.

—¡Ay! —dijo el perro—, como soy viejo y ya no sirvo para la caza, mi amo casi me mata de una paliza, así que me escapé. Pero ahora no sé cómo ganarme el pan.

—Atiende —dijo el burro—, yo me dirijo a Bremen para hacerme músico. ¿Por qué no vienes conmigo? Yo tocaré el laúd y tú el bombo.

Al viejo perro le gustó la idea y decidieron hacer juntos el camino .

Al poco rato se encontraron con un gato de cara triste.

—¿Qué te pasa, viejo mostacho? ¿Por qué estás tan compungido?

—¿Cómo puede estar alguien alegre si peligra su vida? —dijo el gato—. Soy viejo y mis dientes están gastados. Prefiero sentarme junto a la estufa que cazar ratones. Por eso la granjera me quiso ahogar, así que salí corriendo de la casa. ¿Pero, a dónde puedo ir?

—Ven con nosotros a Bremen —dijo el burro—. A ti te gusta hacer ruido por la noche. Si nos acompañas podrás hacerte músico.

Al gato le pareció bien la idea y decidió acompañarlos.

Andando, andando, llegaron a una granja.

Sobre el portal había un gallo que cacareaba a pleno pulmón.

—¿Por qué gritas tanto? —preguntó el burro.

—He oído cómo el ama decía que mañana vienen invitados a comer y que hoy me van a cortar la cabeza para prepararles una buena sopa. Por eso grito mientras puedo.

—Siempre hay algo mejor que la muerte. Tienes una buena voz; si quieres puedes unirte a nosotros, pues vamos a Bremen a hacernos músicos.

Al gallo le pareció bien la idea y así marcharon juntos los cuatro.

Bremen

Como no tendrían tiempo de llegar a Bremen ese mismo día, decidieron dormir en el bosque. El burro y el perro se acostaron junto al tronco de un gran árbol, el gato se subió a las ramas y el gallo voló hasta lo más alto, porque allí se sentía más seguro. Antes de dormir miró hacia las cuatro direcciones y a lo lejos divisó algo. Así que avisó a los otros.

—Por ahí cerca debe haber una casa. Veo una pequeña luz —dijo el gallo.

—Vayamos hasta allí; en ella dormiremos mejor —dijo el burro.

Y el perro asintió, pues pensó que podría encontrar algún hueso con un poco de carne.

Los cuatro emprendieron el camino y pronto vieron la luz, que poco a poco se hacía más intensa. Por fin llegaron a una granja en la que estaban reunidos unos ladrones. El burro, que era el más grande de todos, se acercó a la ventana y miró adentro.

—¿Qué ves? —susurró el gallo.

—Veo una mesa puesta, con mucha comida, mucha bebida y tres ladrones sentados en ella.

—Todo eso podría ser para nosotros —dijo el gallo.

Los animales se pusieron a pensar en qué podían hacer para espantar a los ladrones, y pronto tuvieron una idea.

El burro apoyó sus patas delanteras en la repisa de la ventana,
el perro saltó a su espalda,
el gato subió encima del perro
y el gallo voló hasta la cabeza del gato.

A una señal, todos empezaron a hacer música. El burro rebuznó, el perro ladró, el gato maulló y el gallo cantó, y los cuatro saltaron a la vez por la ventana.

Los ladrones se asustaron, creyendo que entraba un fantasma, y huyeron hacia el bosque. Entonces los cuatro amigos se sentaron a la mesa y comieron como si no hubieran comido en cuatro semanas. Cuando terminaron, cada uno buscó un sitio a su medida para dormir.

El burro se tumbó en la paja,
el perro detrás de la puerta,
el gato junto a la estufa
y el gallo se acomodó en una viga.

Y, como estaban muy cansados por el largo viaje, se durmieron enseguida.

Mientras tanto, los ladrones vieron desde el bosque que las luces de la casa se habían apagado, y el jefe dijo:

—Tenemos que averiguar si aún hay alguien en la casa.

Y ordenó a uno de ellos ir a investigar.

El ladrón entró en la casa y se fue directo a la cocina para encender las luces.

Vio los ojos brillantes del gato y creyó que eran las brasas.

Así que acercó una cerilla hasta ellos.

El animal, furioso, le saltó a la cara y le arañó.

El ladrón se asustó tanto que quiso salir corriendo por la puerta trasera,
pero el perro, que estaba allí tumbado, se levantó de un salto
y le mordió en una pierna.

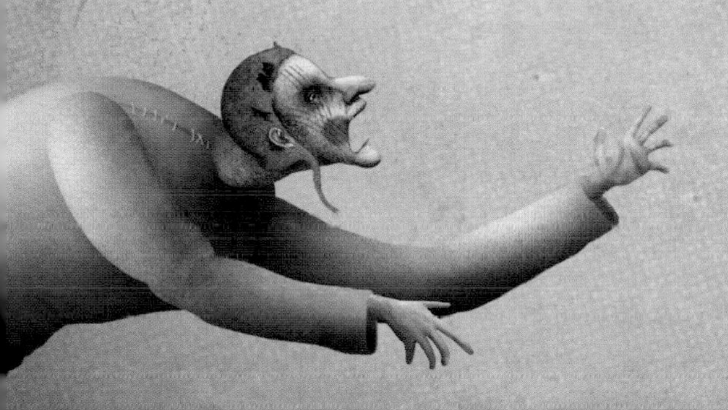

El ladrón atravesó corriendo el pajar
y entonces el burro le dio una buena coz.

El gallo, que se había despertado con tanto alboroto,
gritó desde la viga:

¡kikirikí!

¡kikirikí!

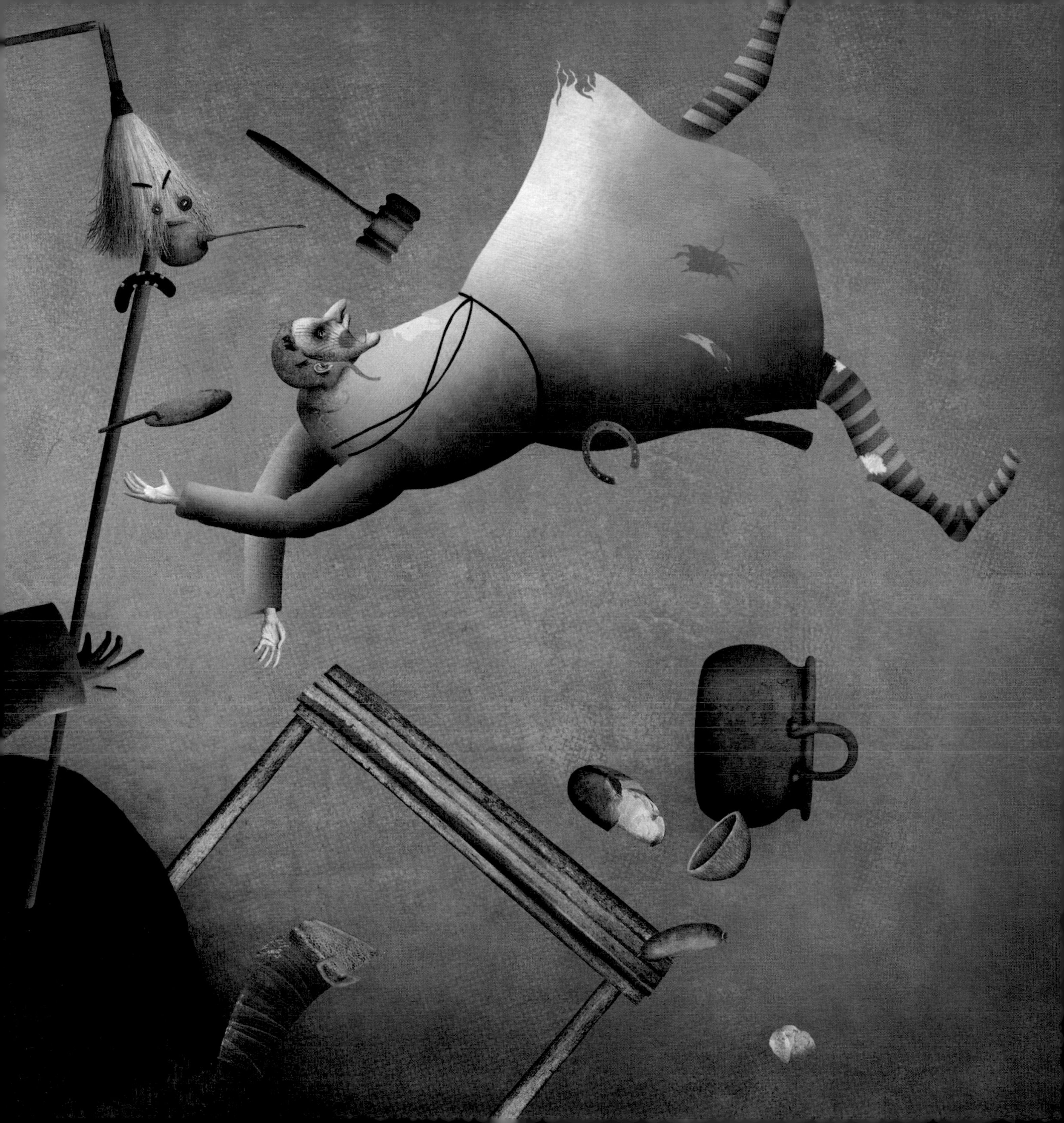

El ladrón corrió como pudo hasta donde estaban sus compañeros y les contó asustado:

–En la casa hay una horrible bruja que me arañó la cara con sus largas uñas, junto a la puerta hay un hombre que me acuchilló en la pierna, en el patio hay una bestia negra que me arreó con un palo y en el tejado hay un juez que gritó: «¡Traedme al ladrón aquí!». Así que salí corriendo.

Desde entonces los ladrones
no se atrevieron a volver a aquella casa nunca más.

Y a los cuatro músicos les gustó tanto su nuevo hogar
que decidieron quedarse allí para siempre.

Y colorín, colorado, este cuento está acabado.